Nance Donkin

NAIN AR GOLL!

addasiad
Elwyn Ashford Jones

GOMER

Argraffiad Cymraeg cyntaf - 1986
Ail Argraffiad - 1988
Trydydd Argraffiad - 1993
Cyhoeddwyd gyntaf ym Mhrydain gan Hamish
Hamilton Ltd., 1975

Teitl gwreiddiol *Patchwork Grandmother*

ISBN 0 86383 251 2

Cyhoeddwyd dan gynllun comisiynu'r
Cyngor Llyfrau Cymraeg.

Dymuna'r cyhoeddwyr gydnabod cymorth a chyfarwyddyd Adrannau'r Cyngor Llyfrau Cymraeg a noddir gan Gyngor Celfyddydau Cymru.

Argraffwyd gan J. D. Lewis a'i Feibion Cyf.,
Gwasg Gomer, Llandysul, Dyfed.

PENNOD 1

Glywsoch chi erioed am nain yn mynd ar goll, yn diflannu'n llwyr? Wel, dyna'n union a ddigwyddodd i nain Huw. Saith oed oedd Huw ar y pryd ac yn byw yn Aberdulas, pentref bychan ar lan y môr yng Ngwynedd. Ers tro byd bellach, roedd Nain yn byw gyda theulu Huw, sef ei dad a'i fam, Dylan ei frawd a Rhian, ei chwaer hŷn.

Roedd gan Huw feddwl y byd o'i nain. Ni allai feddwl am dreulio diwrnod heb ei chwmni, heb sôn am wythnos neu bythefnos. Felly, pan glywodd un bore y byddai ei nain yn mynd i aros at Modryb Catrin yng Nghaerdydd, a hynny am bythefnos gyfan, ni wyddai Huw druan beth i'w wneud.

'Ond i be' mae arnoch chi eisiau mynd i aros yng Nghaerdydd, Nain?' gofynnodd yn benisel.

'Wel, chwarae teg, 'nghariad i,' atebodd ei nain gan wenu arno'n glên, 'mae'n deg i mi fynd i weld gweddill fy nheulu weithiau, wyddost ti.'

'Ond oes raid ichi fynd am bythefnos, Nain?' a gwthiodd Huw ei ben i fynwes ei nain fel cath yn mynnu mwythau.

'Wel, gwranda di rŵan. Bob dydd tra bydda i i ffwrdd, mae arna i eisiau i ti fwydo Siôn y ci a Siani'r gath, newid dŵr Jimi'r bwji a gwneud clamp o lun o bob un ohonyn nhw a'u hanfon drwy'r post i mi. Erbyn i ti wneud hynna i gyd mi fydda i wedi cyrraedd yn ôl!'

Y bore Llun canlynol, eisteddai Huw yn ddigon diflas yng ngorsaf Trefenai. Disgwyl am y trên un ar ddeg roedden nhw—y trên a fyddai'n mynd â Nain ar ei hunion i Gaerdydd. Er y byddai ganddo ddigon i'w wneud dros y bythefnos, eto fe wyddai Huw y byddai ar goll heb Nain. Roedd ganddi hi ddigon o amser i chwarae gyda fo, i fynd ag o am dro, i ddweud stori wrtho fo cyn iddo fynd i gysgu ac i wrando ar ei sgwrs a'i jôcs. Wrth sylwi ar fys y cloc yn symud yn nes at un ar ddeg o'r gloch, dechreuodd dagrau gronni yn ei lygaid. Ond penderfynodd fod yn ddewr. Doedd hogiau mawr ddim yn crio!

Cyrhaeddodd y trên yr orsaf yn brydlon. Dewisodd Nain gerbyd gweddol wag, a chariodd tad Huw ei chês i mewn a'i roi ar y rac uwch ei sedd. Gosododd Nain ei bag bach glas golau ar y sedd. Roedd y bag yma yn orlawn o edafedd o bob lliw a bwndeli o glytiau wedi eu torri i wahanol siapiau at wneud teganau. Yn ôl Huw, Nain oedd yr orau yn y byd am wneud teganau. Byddai ei bysedd medrus yn brysur bob dydd yn creu rhyw degan a fyddai wrth fodd calon unrhyw blentyn. Ar ôl gosod ei chôt a'i hambarél ar y rac, trodd Nain at Huw a rhoddodd glamp o gusan ar ei foch.

'Cofia di fod yn fachgen da rŵan,' meddai. 'Ac edrycha di ar ôl Siôn, Siani a Jimi. Mi fydda i yn disgwyl tri llun mawr ohonyn nhw a llythyr. Ta ta, 'ngheriad i.'

Aeth Nain i'w bag ac estyn paced anferth o gnau mwnci i Huw. Fe wyddai o'r gorau y byddai'r rheini yn

siŵr o'i gadw yn ddiddig ar y ffordd adref.

Canodd corn y trên a bu'n rhaid i Huw a'i rieni gamu allan o'r cerbyd. Dechreuodd yr injan chwyrnu fel ci ffyrnig, a'r olwynion wichian ac yna cychwynnodd y trên allan o'r orsaf. Safai Nain yn y ffenestr yn codi ei llaw arnynt. Yna, gan edrych yn slei bach ar Huw, rhoddodd winc arbennig iddo fo. Ymhen dim, roedd y trên wedi diflannu drwy geg y twnnel i grombil y mynydd.

Ar ôl cyrraedd adref o orsaf Trefenai, bu Huw ar bigau'r drain drwy'r p'nawn yn disgwyl i'w nain ffonio. Ond ni chanodd y ffôn ac ni chanodd fin nos chwaith.

'Mae'n rhaid fod Nain wedi blino'n ofnadwy ar ôl teithio'r holl ffordd i Gaerdydd, ac wedi mynd yn syth i'w gwely,' ebe'i fam gan geisio cysuro Huw. 'Mi fydd yn siŵr o ffonio bore fory, mi gei di weld.'

Ond ni ffoniodd Nain bore trannoeth chwaith nag yn ystod y prynhawn. Erbyn hyn, roedd Huw yn swp sâl.

'Huw,' ebe'i fam. 'Beth am i ti dynnu llun o Siôn rŵan ac fe'i postiwn ni o ar ôl te.'

'O'r gorau, Mam, mi wna i,' atebodd Huw gydag un ochenaid fawr. Prin fod Huw wedi tynnu ei bensilau lliw allan o'r câs pan ganodd y ffôn. Modryb Catrin oedd yn ffonio o giosg yng Nghaerdydd, a siaradai mor gyflym fel na allai mam Huw ei deall o gwbl. Un fel yna oedd Modryb Catrin. Roedd yn siarad fel melin bupur drwy'r dydd gan adael i'r llaeth ferwi ar y stôf neu'r gacen yn y popty losgi'n ddu golsyn. Cati Chwit Chwat y byddai ei dad yn ei galw.

Syllodd Huw ar dalcen ei fam yn crychu wrth iddi wrando ar lais ei fodryb yn llefain fel petai cant o nadroedd ar ei hôl. Ond ar ôl gwrando yn ddyfal, holi ac ail holi, deallodd mam Huw beth oedd wedi digwydd.

Roedd yn amlwg fod Modryb Catrin, neu Cati Chwit Chwat, wedi tybio mai'r dydd Llun wedyn roedd Nain yn dod i aros ati. Ni sylweddolodd ei chamgymeriad nes iddi ddod o hyd i

lythyr Nain pan oedd yn tacluso'r bore hwnnw.

'O, wna i byth faddau i mi fy hun,' llefodd ar y ffôn. 'Ddoe roedd hi'n cyrraedd a finna ddim yn yr orsaf i'w chyfarfod.'

'Methu deall ydw i,' ebe mam Huw, 'pam na fasa' Nain wedi cymryd tacsi.'

'Ond mae hi ar goll . . . ar goll, ac arna i mae'r bai . . .!' Roedd modryb Catrin yn sgrechian siarad erbyn hyn.

Ffoniwyd yr Heddlu ac aeth plismyn Caerdydd a Threfenai ar eu hunion i chwilio am Nain. Holwyd gard y trên, holwyd y merched a oedd yn edrych ar ôl y caffi yn yr orsaf ac amryw o'r teithwyr. Roedd ambell un yn cofio Nain ac wedi bod yn sgwrsio gyda hi am y tywydd ac am y teganau roedd hi wrthi'n eu gwneud.

Gwelwyd Nain ar blatfform gorsaf Caerdydd ac felly roedd yn amlwg iddi gyrraedd y ddinas honno'n ddiogel. Roedd un o'r teithwyr yn cofio iddo'i helpu hi i gario ei chês oddi ar y trên ac fe'i gadawodd ar y platfform yn disgwyl ei merch.

Wrth ddiolch iddo, dywedodd Nain bod ei merch, Catrin, bob amser yn hwyr. Unrhyw funud fe ddeuai dan redeg, ei gwallt yn flêr, a rhyw stori fawr am y cloc wedi stopio neu'r car wedi torri i lawr. Un fel yna oedd Cati.

Hanner awr yn ddiweddarach, roedd clerc y swyddfa docynnau wedi gweld Nain yn sefyll ar ei phen ei hunan ar y platfform ac wedi mynd ati i ofyn a oedd popeth yn iawn.

Oedd, eglurodd, roedd popeth yn iawn. Roedd ei merch yn siŵr o ddod yn y man. Pan aeth y clerc yn ôl ar y platfform yn nes ymlaen, roedd Nain a'i chês wedi diflannu.

Holwyd pob ysbyty yng Nghaerdydd a Threfenai hefyd rhag ofn ei bod wedi teithio'n ôl ar y trên. Ond er holi a stilio ym mhobman posib, doedd neb wedi gweld Nain.

'Dydyn ni ddim yn deall, wir,' meddai pobl wrth rieni Huw, 'sut y gall gwraig ddiflannu fel mwg i fyny simnai.'

Ychwanegwyd enw Nain at Restr y Personau Coll, ac ymhen ychydig fis-oedd dechreuodd pobl anghofio amdani, . . . pawb ond Huw!

PENNOD 2

'Does neb yn malio dim am Nain—neb ohonoch chi!' sgrechiodd Huw ar dop ei lais un bore.

Roedd tri mis wedi mynd heibio er i Nain ddiflannu ar y trên, a chredai Huw fod pawb bellach wedi anghofio'n llwyr amdani—hyd yn oed ei fam.

'Dydy hynna ddim yn wir,' ebe'i fam, a oedd wrthi'n brysur yn smwddio ar y pryd. 'Rydw i'n meddwl llawer am Nain ac yn poeni llawn cymaint â thi, Huw.'

'Does dim golwg poeni arnoch chi.'

'Dydy pobl ddim yn dangos eu teimladau, wyddost ti.'

'Ond Mam, does arnoch chi ddim eisiau gwybod beth sydd wedi digwydd iddi? Falla fod rhywbeth ofnadwy wedi digwydd i Nain. Fasa hi byth yn mynd i ffwrdd heb ddweud rhywbeth.'

Ochneidiodd ei fam. Rhoddodd yr haearn smwddio ar y bwrdd yn ofalus. 'Dydw i ddim yn siŵr am hynny, Huw.'

'Be' ydach chi'n 'i feddwl?'

'Gwranda . . . nid dyma'r tro cyntaf i Nain adael cartref a diflannu. Fe wnaeth yr un peth unwaith o'r blaen pan oeddwn i'n chwech oed a Modryb Catrin yn bedair. Fe aeth Nain i ffwrdd un penwythnos i aros at gyfnither iddi yn Lerpwl. Doedd hi ddim yn bwriadu dod yn ôl ond ddywedodd hi ddim byd —dim ond dweud wrthym ni am fod yn blant da. Mewn tridiau wedyn fe ffoniodd hi 'Nhad i ddweud nad oedd hi'n dod yn ôl a'i bod wedi rhentu fflat yn y ddinas.'

'Dydw i ddim yn coelio hynny,' sibrydodd Huw gan ysgwyd ei ben. 'Fasa' Nain byth yn gwneud y fath beth.'

'O do, fe wnaeth. Mi fyddai'n anfon llythyrau atom yn rheolaidd, a gwnai'n siŵr fod 'na anrheg i'r ddwy ohonom ar ein pen-blwydd ac adeg y Nadolig. Ond ddaeth hi ddim yn ôl am ddwy flynedd. Noson cyn y Nadolig oedd hi, a dyna gnoc ar y drws. Pwy oedd yno ond Nain a chlamp o eliffant a mwnci wedi eu gwneud o glytiau lliwgar yn ei llaw.'

‘Fel Moi a Mic,’ ebe Huw a’i lygaid yn disgleirio fel haul y bore.

‘Dyna ti, yn union fel Moi a Mic. Dyna’r teganau clwt cyntaf wnaeth Nain.’

‘Ydyn nhw’n dal gynnoch chi, Mam?’ gofynnodd Huw.

‘Nac ydyn, siŵr. Ar ôl i ni dyfu, fe daflwyd nhw o’r neilltu. Ac rydw i’n meddwl ei bod yn hen bryd i titha’ daflu Moi a Mic . . .’

Ysgydwodd Huw ei ben yn bendant. Doedd o ddim am daflu Moi a Mic, waeth pa mor fudr a charpiog oedden nhw. Roedd gan Huw feddwl y byd ohonyn nhw a gobeithiai y bydden nhw’n denu Nain yn ôl!

‘Ddywedodd Nain wrthych chi pam adawodd hi gartref?’ gofynnodd Huw.

‘Naddo, ddywedodd Nain ddim byd erioed, ond erbyn hyn rydw i’n credu ’mod i’n deall pam y gadawodd hi. Rwyt ti’n gweld, pan oedd Nain yn ferch ifanc, hi oedd yr hynaf o ddeg o blant. Teulu tlawd dros ben oedden nhw, a chafodd Nain fawr o amser i fwynhau ei hun. Fe briododd yn ifanc

iawn ac fe anwyd Modryb Catrin a minnau cyn ei bod yn ugain oed. Roedd fy nhad yn llawer hŷn na hi,—a dweud y gwir, roedd o'n ddigon hen i fod yn daid i ni. Dyn od ar y naw oedd o—tawel, byth yn gwenu ac yn llym iawn wrthyn ni fel plant. Doedd gennym ni fawr o ffrindiau a doedd neb yn cael dod i aros aton ni. Chawson ni erioed barti pen-blwydd na Nadolig, a chawson ni erioed fynd am bicnic. Rydw i'n meddwl i Nain adael cartref er mwyn cael mwynhau bywyd, cyfarfod pobl a chael teimlo'n ifanc unwaith eto.'

'Pwy oedd yn gofalu amdanoch chi, Mam?'

'Fe ddaeth 'na ddynes arall i edrych ar ein holau ni tra oedd Nain i ffwrdd, ac roedd hitha yr un mor sych a llym â 'Nhad.'

'Oeddech chi'n casáu Nain am fynd i ffwrdd a'ch gadael fel yna?' gofynnodd Huw.

'Nac oedden. Roedden ni mor falch o'i gweld yn ôl, ac roedd 'Nhad yr un mor falch. Yn rhyfedd iawn, wedi iddi ddod yn ôl, newidiodd 'Nhad. Roedd

o'n gwenu tipyn mwy ac yn llawer mwy bywiog. Fe gawson ni fynd ar sawl picnic ac ambell i wyliau ac fe gafodd rhai o'n ffrindiau ddod i aros aton ni.'

'Ond fe fu farw 'Nhad ymhen ychydig flynyddoedd a bu'n rhaid i Nain fynd allan i weithio er mwyn cael digon o bres i'n magu ni. Wedi i ni dyfu'n ferched ifainc, fe briododd Modryb Catrin a mynd i fyw i Gaerdydd ac mi briodais innau efo dy dad. Pan gefaist ti dy eni, mi fûm i'n sâl iawn, a daeth Nain i fyw aton ni i edrych ar ein holau.'

'Ac mi ddaw yn ei hôl eto, rydw i'n siŵr,' ebe Huw gan roddi un ochenaid fawr o hiraeth. 'Mae hi'n siŵr o ddod, yn tydy Mam?'

'Ydy, 'ngwas i.'

PENNOD 3

Aeth blwyddyn gyfan heibio ac roedd Nain yn dal ar goll. Bellach, ni fyddai neb yn sôn gair amdani—neb ond Huw. Weithiau, deuai ambell ddyn papur newydd heibio i holi ychydig o gwestiynau gan feddwl sgrifennu stori dda am ddiflaniad Nain. Ond gan nad oedd Nain yn berson enwog neu'n Miss Byd, buan y collai'r gohebwyr ddiddordeb.

Yn y man, cliriwyd ei hystafell gan werthu rhai o'r dodrefn. Symudwyd ei pheiriant gwnïo i'r atig o'r ffordd. Wedi symud y dodrefn doedd dim ar ôl i atgoffa Huw am Nain ond Jimi'r bwji, ac un bore hedfanodd hwnnw drwy'r ffenestr agored pan oedd Huw yn newid ei ddŵr.

Roedd gan Huw fwy o hiraeth am Nain na neb arall yn y tŷ, mwy hyd yn oed na Dylan a Rhian, oherwydd roedden nhw flynyddoedd yn hŷn nag o a heb fod yn gymaint o ffrindiau gyda Nain. Lle bynnag yr âi Huw, cadwai lygaid barcud am Nain. Pan fyddai'r teulu yn mynd i Drefenai, gwibiai ei lygaid i bob cyfeiriad gan ddisgwyl ei gweld yn cerdded allan o un o'r siopau mawrion.

Byddai Huw yn cael mynd gyda'i rieni i orsaf Trefenai weithiau gan fod ei dad yn defnyddio'r trên yn aml i fynd ar fusnes i Lundain. Gobeithiai mai yng ngorsaf Trefenai y deuai o hyd i'w nain gan mai yno y gwelodd hi am y tro olaf. Roedd Huw wrth ei fodd yn cael mynd i'r orsaf. Gwirionai ar y sŵn, y prysurdeb ac arogl arbennig y lle. Roedd yr arogl yn un anghyffredin —yn union fel petai cynnwys rhyw fin sbwriel mawr yn llawn ffrwythau a llysiau drwg wedi ei arllwys ar y platfform. Câi hwyl wrth wrando ar sŵn esgidiau'r teithwyr yn atseinio yn y waliau a chanu grwndi ceir a bysiau rywle yn y pellter fel petaent mewn byd arall. A dyna bleser a gâi wrth wylio'r neidr-gantroed o dryciau bach yn llawn o barseli a bagiau yn gwingo drwy'r teithwyr ar y platfform. Oedd, roedd yna rywbeth arbennig mewn

PICTURES

gorsaf reilffordd. Roedd yn union fel rhyw wlad hud i Huw.

Mewn tŷ teras yn ymyl gorsaf Trefenai y ganwyd ei nain, ac oherwydd fod ganddi amryw o frodyr a chwiorydd iau i edrych ar eu holau, deuai â nhw am dro i'r orsaf i wylio'r trenau.

'Mi fyddai hi'n werth i ti weld yr hen injans stêm mawr ers talwm yn pwffian ac yn hisian fel rhyw gewri anferth ac annwyd arnyn nhw. Yna'r stêm gwyn fel cymylau yn tasgu i bob cyfeiriad. Roedd hi'n orsaf brysur iawn yr adeg honno, a chyn gynted ag y byddai un trên yn gadael, byddai un arall yn cyrraedd. Yn wir byddem yn teimlo weithiau fod yr holl fyd yn cyfarfod yng ngorsaf Trefenai.'

'Mi faswn i wedi bod wrth fy modd yn cael bod yno yr adeg honno, Nain.' Byddai ceg Huw yn agored led y pen wrth iddo wrando ar ei hatgofion.

'Rydw i'n siŵr y buaset ti. Ond ymhen ychydig flynyddoedd mi symudon ni i fyw i bentref bychan yn y wlad. Roedd rheilffordd brysur Caergybi i Lundain yn pasio heibio'r

pentref hwnnw. Ambell dro, mi fydden ni'r plant yn dringo i ben y bont droed a oedd yn croesi'r rheilffordd i aros am yr Irish Mail.'

'Be' oedd yr Irish Mail, Nain?' gofynnai Huw.

'Trên cyflym yn mynd â llythyrau pwysig o Iwerddon i Lundain. Pan ruthrai hwnnw oddi tanom, tasgai gwmwl gwyn trosom a hwnnw'n wlyb ac yn gynnes. Sgrechiai'r plant lleiaf gan redeg am eu bywyd i lawr y grisiau, ond arhosen ni'r plant hynaf gan adael i'r stêm ein gorchuddio, ac am ychydig eiliadau teimlem fel petaem ar goll yng nghanol niwl trwchus.'

'Dyna syniad da, Nain. Mi faswn i yn hoffi gwneud hynna.'

'Chei di ddim bellach, Huw bach. Does 'na ddim injans stêm mawr ar ôl rŵan—dim ond mewn ambell i amgueddfa neu reilffordd breifat.'

'Hei, Nain, gawn ni fynd i weld injan stêm go iawn ryw dro?'

'Cawn, 'mach i,' atebai Nain a'i llygaid glas yn gloywi. 'Mi awn ein dau i weld un go iawn yn gweithio ryw ddiwrnod.'

Ac wrth eistedd yng ngorsaf Trefenai yn aros am drên ei dad, cofiai Huw am y ddwy lygad ddisglair yn syllu arno wrth i'w nain sôn am yr hen drenau.

Ambell dro, tybiai Huw iddo weld ei nain yn yr orsaf. Weithiau byddai'n chwarae gêm â fo'i hun. Caeai ei lygaid yn dynn gan adael i sŵn a dwndwr yr orsaf chwyldroi o'i amgylch, a phan ddeuai trên i mewn, cil-agorai hwynt gan edrych ar y bobl a ddeuai allan o'r cerbydau. Byddai'n sicr weithiau y gwelai ei nain yn camu allan o gerbyd, ond pan agorai ei lygaid yn iawn rhywun arall ydoedd bob tro. Ond daliai Huw i obeithio o hyd.

Doedd Huw ddim yn edrych ymlaen at ei wyliau haf y flwyddyn honno. Ni wyddai beth a wnâi am saith wythnos heb Nain i'w ddifyrru. Roedd ei fam yn poeni am Huw hefyd. Er bod blwyddyn gron a mwy wedi mynd heibio ers i Nain ddiflannu, parhâi Huw i hiraethu amdani. Yn hytrach na mynd allan i chwarae gyda'i ffrindiau, byddai'n loetran o gwmpas y tŷ a châi ambell blwc o wylo'n hidl. O leiaf, roedd yn gallu anghofio am Nain tra oedd yn yr ysgol, ond gyda saith wythnos o wyliau o'i flaen, ni wyddai ei fam beth a wnâi. Felly, un bore wedi iddynt orffen eu brecwast, trodd ato:

'Huw,' meddai. 'Rwyt ti a fi yn mynd am ychydig o wyliau.'

'Ond Mam,' ebe Huw, 'roeddwn i'n meddwl nad oedden ni'n cael mynd am wyliau eleni gan fod Dad mor brysur.'

'Wel, mae arna i ofn na chaiff dy dad druan ddim gwyliau eleni, ond gan fod Rhian yn mynd i aros at ei ffrind a Dylan yn mynd i wersylla, fe awn ninnau'n dau am wyliau bach hefyd.'

'I ble, Mam?'

'Wel, mae Modryb Catrin wedi ein gwahodd i aros am ychydig yng Nghaerdydd . . .'

'At Cati Chwit Chwat?!' Disgynnodd wyneb Huw fel crempog wlyb gan siom.

'Huw, rhag dy gywilydd di'n galw enwau ar Fodryb Catrin fel yna!'

'Ond dyna be' mae Dad yn ei galw hi.'

'Rhag ei gywilydd yntau hefyd, ond does dim rhaid i ti wneud yr un peth. Mae gan Modryb Catrin feddwl y byd ohonot ti, cofia.'

'Ond o'i hachos hi yr aeth Nain ar goll. Biti na fasa Nain yma rŵan. Mi fasa hi wedi gofalu y cawn fynd ar wyliau bendigedig i rywle.'

Cododd Huw a rhuthrodd at y drws cefn.

'Huw,' sibrydodd ei fam. 'Rwyt ti wedi bod yn chwilio'n ddyfal am Nain yma ond cofia di mai yng Nghaerdydd yr aeth hi ar goll!'

Safodd Huw am eiliad a'i law ar glicied y drws. Yna trodd at ei fam.

'Pryd ydan ni'n cychwyn?' gofynnodd yn eiddgar.

PENNOD 4

Wrth deithio ar y trên i Gaerdydd roedd Huw wrth ei fodd yn gwylio'r caeau a'r coed yn gwibio heibio i'r ffenestr, a'r ffens ar ochr y rheilffordd yn codi ac yn disgyn fel hyrdi-gyrdi yn y ffair. Wrth gwrs, dyma'r union gaeau a choed a welodd ei nain yn gwibio heibio pan deithiodd hi ar y trên flwyddyn ynghynt. Beth, tybed, oedd yn mynd trwy ei meddwl ar y pryd? A oedd rhywbeth a welodd drwy'r ffenestr wedi ei hatgoffa am yr adeg y bu iddi ddianc pan oedd yn wraig ifanc?

Fe gyrhaeddodd y trên orsaf Caerdydd ganol y p'nawn. Wrth i Huw gamu allan ar y platfform aeth ias oer i lawr ei gefn. Dyma'r union fan lle gwelwyd ei nain am y tro olaf. Sylwodd ar amryw o bobl yn sefyll gyda'u bagiau yn aros am drên neu am rywun i ddod i'w cyfarfod. Teimlai Huw eu bod yn mentro eu bywyd. Wydden nhw ddim pwy oedd yn llechu yn un o'r cilfachau tywyll ar y platfform yn barod i'w cipio unwaith roedd yr orsaf yn wag. Fuasai Huw ddim yn fodlon aros yma ar ei ben ei hun am bris yn y byd. Ni chafodd amser i hel ychwaneg o feddyliau. Fe'i tynnwyd yn ddi-lol tuag at yr Allanfa gan ei fam. Doedd hi ddim am iddo aros yn rhy hir yn yr orsaf rhag ofn iddo ddechrau hiraethu am Nain.

Doedd Huw ddim yn edrych ymlaen at aros gyda Modryb Catrin. Fyddai ganddo neb i chwarae gydag o, a hen ddyn bach piwis, byr ei dymer ac yn casáu plant oedd Ewyrth John.

Ond nid felly y bu. Cafodd ei siomi ar yr ochr orau. Drws nesaf i dŷ ei fodryb roedd bachgen o'r enw Iolo yn byw. Roedd o yr un oed â Huw, ac ymhen dim daeth y ddau yn ffrindiau pennaf. Fe adroddodd Huw yr holl stori am Nain wrth Iolo, a oedd, gyda llaw, yn un da am wrando.

'Ew,' meddai Iolo wedi iddo glywed y stori i gyd. 'Be' wyt ti'n feddwl ddigwyddodd iddi? Wyt ti'n meddwl fod rhywun wedi ei chipio hi?'

Roedd Huw wedi meddwl am hynny yn barod. Ambell noson, wrth iddo orwedd yn ei wely, dychmygai weld Nain yn garcharor mewn hen gastell neu oleudy unig. Gallai ei gweld yn sefyll y tu ôl i ffenestr fechan gyda bariau haearn ar ei thraws ac yn gweiddi rhywbeth, er na chlywai neb yr un gair. Dro arall, dychmygai weld ei nain yn taflu potel fechan a neges ynddi drwy'r ffenestr:

> HELP! HELP! RYDW I'N GARCHAROR! HUW! BRYSIA I'M HACHUB! BRYSIA!

Rhuthrai yntau i fyny'r grisiau troellog nes cyrraedd drws haearn enfawr. Wedi gwthio'r drws yn agored, gwelai Nain yn sefyll a'i breichiau ar led i'w groesawu . . .

Ond fe wyddai o'r gorau mai lol oedd hyn i gyd, ac roedd ganddo gywilydd wrth adrodd y straeon hyn wrth Iolo.

'Hei,' meddai yn y man. 'Beth am i ni chwarae gêm "Achub Nain"?' Treuliodd y ddau awr dda wedyn yn chwarae'r gêm gan gymryd rhan Nain bob yn ail. Cuddiai un ar gangen uchaf y goeden afalau yn yr ardd, ac wedi taflu'r neges i lawr mewn potel dringai'r llall i fyny i'w achub.

'Oedd ganddi lawer o arian?' gofynnodd Iolo wedi iddynt flino ar chwarae'r gêm. 'Fe welais i raglen ar y teledu y diwrnod o'r blaen lle roedd 'na ddynion drwg wedi cipio hen wraig gyfoethog ac wedi bygwth ei lladd os na chaent arian mawr gan y teulu.'

Ysgydwodd Huw ei ben. 'Na, doedd Nain ddim yn gyfoethog. Ond un od efo'i phres oedd hi. Fyddai hi byth yn mynd i'r banc.'

'Ond mae pawb hefo tipyn o arian yn mynd i'r banc.'

'Wel, doedd Nain ddim beth bynnag.' Ac eglurodd Huw pam:

'Pan oedd hi'n ferch ifanc cadwai ei cheiniogau sbâr mewn bocs ac roedd hi'n dal i wneud hynny.'

'Be' wyt ti'n 'i feddwl?'

'Mewn bocs bach lliwgar y byddai hi'n cadw ei phres ac fe fyddai hi'n cario'r pres o'r bocs mewn poced fechan wedi ei gwnïo y tu mewn i'w

sgert, bob tro yr âi i ffwrdd. Roedd y pres yma ganddi pan ddaeth hi i Gaerdydd.'

'Wel dyna ti,' ebe Iolo yn wên o glust i glust. 'Mae'n siŵr fod 'na rhyw leidr yn rhywle yn gwybod am y boced 'ma ac wedi ei . . .'

'Wedi ei be' . . .?' gofynnodd Huw.

Ysgydwodd Iolo ei ben. 'Wel, fe faswn i'n meddwl fod dy nain wedi marw bellach . . .!'

'Na, dydy Nain ddim wedi marw. Rydw i'n sicr o hynny. Ac mae Mam yr un mor bendant â fi. Mi faswn i'n gwybod petai Nain wedi marw. Rydw i'n credu ei bod hi yn fyw yn rhywle, ond does gen i ddim syniad ymhle.'

Teimlai Huw yn well o lawer ar ôl adrodd hanes Nain wrth Iolo. Doedd o ddim wedi sôn cymaint am Nain ers misoedd, ac roedd yn fendigedig cael rhywun a oedd yn barod i wrando mor astud arno.

'Roeddwn i'n hoff iawn o Nain, wyddost ti,' ebe Huw.

Cofiai y winc arbennig a roddai iddo, ac fel yr eisteddai yn ei chadair freich-

iau, a darn o liain gwyn ar y llawr o'i blaen gyda phentwr o ddefnyddiau lliwgar arno. Fe fyddai ei nain bob amser yn torri'r defnyddiau'n wahanol siapiau ac yn eu taflu ar y lliain gwyn nes gwneud pob math o batrymau lliwgar.

Un tro, prynodd Huw ddarn o ddeunydd tlws iddi ar ei phen-blwydd. Deunydd glas tywyll ydoedd gyda blodau mawr o liw aur a brown arno. Roedd Nain wrth ei bodd ac fe greodd y jiráff bach delaf ac odiaf a welsoch chi erioed efo fo. Roedd ei gorff yn frith o glytiau glas a brown a dau lygad mawr aur wedi eu gwnïo ar ei ben. Fe ddywedodd gwraig y siop, a oedd yn gwerthu teganau Nain, y gallai hi werthu'r jiráff bach yr eiliad y rhoddai ef yn y ffenestr. Ac yn wir fe wnaeth.

Cadwodd Nain weddill y deunydd i wneud rhywbeth bach del i Huw rhyw dro.

PENNOD 5

Aeth wythnos o wyliau Huw heibio a doedd o na Iolo fawr nes at ddod o hyd i Nain. Dechreuodd Huw ddigalonni eto a rhyw lercian o amgylch y tŷ a'i ben yn ei blu. Felly, un diwrnod braf penderfynodd ei fam fynd ag o am dro i lan y môr a ffair y Barri. Yn anffodus, y diwrnod hwnnw, roedd Iolo yn gorfod mynd at y deintydd ac ni allai ddod gyda nhw, er mawr siom i Huw.

'Mae 'na drên hwylus yn mynd o Gaerdydd i'r Barri am un ar ddeg bob bore,' ebe Modryb Catrin wrth i'r ddwy sgwrsio wrth y bwrdd brecwast.

'I'r dim,' ebe mam Huw. 'Mi gaf inna' gyfle i fynd â f'oriawr i'r siop i'w thrwsio.'

Roedd mam Huw wedi gollwng ei horiawr y diwrnod cynt ac roedd wedi stopio.

'Fasat ti'n hoffi benthyg f'oriawr i am heddiw?' gofynnodd Modryb Catrin.

'Os caf i. Mi fydd arna i angen oriawr i wybod pryd i ddal y trên.'

Cyrhaeddodd Huw a'i fam ganol y ddinas ar y bws tua hanner awr cyn amser y trên. Fe fuon nhw'n brysur wedyn yn cerdded yn frysiog o'r naill siop i'r llall yn prynu nifer o bethau, nes i'w fam sylweddoli faint o'r gloch oedd hi. Dim ond pum munud oedd ganddyn nhw i ddal y trên!

Rhuthrodd y ddau nerth eu traed am yr orsaf drwy ganol y tyrfaoedd o bobl a safai ar y pafin. Cael a chael oedd hi, ac wedi cyrraedd neidiodd y ddau i'r trên a oedd yn aros wrth y platfform. Roedden nhw allan o wynt yn lân!

'Yr arswyd fawr,' ebe'i fam ymhen ychydig, pan edrychodd ar gloc yr orsaf. 'Dim ond chwarter i un ar ddeg ydy hi. Mae oriawr dy Fodryb Catrin chwarter awr yn fuan!'

Safai trên arall wrth ochr eu trên nhw ac roedd rhai pobl yn dechrau camu i mewn iddo gan osod eu bagiau a'u parseli ar y rac uwchben cyn eistedd yn eu seddi. Yna'n sydyn, sylwodd Huw ar ddynes fechan daclus yr olwg mewn het a chôt werdd yn camu i mewn i'r cerbyd gyferbyn â nhw. Wedi

iddi eistedd i lawr, tynnodd fwndel o edafedd o'i bag a dechreuodd wau'n brysur. Stopiodd am eiliad gan gyfrif y pwythau ac yna cododd ei phen i edrych drwy'r ffenestr i gyfeiriad Huw.

Pan welodd Huw ei hwyneb aeth ias od i lawr ei gefn a'i goesau hyd fodiau ei draed. Ar y pryd, doedd y ddynes ddim yn edrych yn union arno fo, ond roedd o'n syllu fel cath ffyrnig arni hi. Yna, trodd i gyfeiriad Huw, ac am eiliad, edrychodd y ddau i fyw llygaid ei gilydd cyn iddi droi ei phen. Llyncodd Huw ei boer. O dan yr het fechan a wisgai sylwodd ar y cudynnau o wallt brith. Roedd hi hefyd yn gwisgo sbectol, ond ar wahân i'r gwallt brith a'r sbectol roedd yr un ffunud â Nain.

Dechreuodd ei fol gorddi fel petai mil o bryfaid genwair yn gwingo ynddo. Roedd Huw yn bendant mai ei nain oedd y ddynes hon. Ond sut nad oedd hi wedi ei adnabod o? Ceisiodd Huw dynnu ei sylw unwaith eto drwy neidio a chwifio ei freichiau.

'Huw, be' ar y ddaear wyt ti'n geisio

'i wneud?' gwaeddodd ei fam gan afael ynddo a'i dynnu yn ôl i'w sedd.

'Ond Mam, edrychwch! Fan acw! Nain! Ar y trên arall 'na!'

Brathodd ei fam ei gwefus ac edrychodd i gyfeiriad y ddynes.

'Na, Huw, nid Nain ydy honna. Mae hi'n debyg iddi, cofia, ar wahân i'r sbectol a'r gwallt brith, ac mewn blwyddyn fe allai ei gwallt fod wedi gwynnu a'i llygaid wedi gwaethygu yn ddigon hawdd . . .'

'Ond Mam, Nain ydy hi, rydw i'n siŵr.'

'Nage, nid Nain ydy honna. Fasa dy nain byth yn gwisgo dillad gwyrdd. Roedd ganddi hen goel gwirion fod gwyrdd yn lliw anlwcus. Lliw y tylwyth teg oedd o, meddai hi, a doedd Nain byth yn gwisgo gwyrdd.'

'Ond fe allai fod wedi newid mewn blwyddyn,' ebe Huw a oedd ar bigau'r drain erbyn hyn. 'Mam, gawn ni fynd ar draws y platfform i ofyn iddi . . .'

Y foment honno, cychwynnodd y trên allan o'r orsaf.

'Mam . . . mae'r trên . . .'

'Paid â phoeni, Huw bach,' ebe'i fam gan afael yn ei law, 'coelia di fi, nid Nain oedd honna.'

Ond roedd Huw yn berffaith siŵr. Gwyliodd y trên yn llithro'n araf allan o'r orsaf. Ni wyddai beth i'w wneud nesaf. Daeth llais cyhoeddwr yr orsaf dros y corn siarad, ac am eiliad meddyliodd Huw am ruthro allan o'r cerbyd ac i'w ystafell a chipio'r meicroffon oddi arno. Be' ar y ddaear a ddywedai drwy'r corn siarad, ni wyddai. Fel y diflannai'r trên o'i olwg, caeodd Huw ei lygaid yn dynn a dechreuodd freuddwydio am Huw yr arwr! Yr Huw hwnnw na fyddai byth yn rhyw feddwl am wneud hyn a'r llall, ond yn hytrach yn gweithredu'n ddi-lol. Fe fuasai'r Huw hwnnw wedi cipio'r meicroffon pan oedd y trên ar fin gadael y platfform ac wedi cyhoeddi neges bendant mewn llais croyw clir.

'Huw Roberts yn galw. Dyma Huw Roberts yn galw Mrs. Sara Williams. Allwch chi fy nghlywed i? Rydych yn teithio ar y trên sydd newydd adael Platfform 3. Rydych yn gwisgo het a

chôt werdd ac yn gwau rhywbeth melyn. Huw sy'n galw Nain. Os ydych yn fy nghlywed i, Nain, gadewch y trên yn yr orsaf nesaf a dewch yn ôl. Fe fyddwn ni yma yn eich disgwyl . . .'

'Huw, be' sy'n bod arnat ti?' ebe'i fam gan roi hergwd iddo. 'Mae dy geg di'n cau ac agor fel ceg pysgodyn. Oes syched arnat ti neu rywbeth?'

Agorodd Huw ei lygaid a diflannodd yr Huw arall!

'Na, rydw i'n iawn, Mam,' atebodd. 'Ond rydw i'n siŵr mai Nain oedd y ddynes yna.'

'Na, 'nghariad i, fasa Nain byth yn gwisgo dillad gwyrdd. Ac eto, roedd hi'n debyg iawn iddi hi . . .'

Ni chafodd Huw fawr o flas ar y Barri y diwrnod hwnnw er i'w fam wneud ei gorau glas i'w ddifyrru. Ym mhob cornel o'r traeth, ar bob cadair lan y môr ac ar bob chwrligwgan ac olwyn fawr yn y ffair gwelai Huw wragedd mewn dillad gwyrdd. Ond nid Nain oedd yr un ohonyn nhw.

Dychwelodd i dŷ ei fodryb y noson honno yn drist ac yn siomedig. Eto, roedd yn fwy pendant nag erioed fod ei Nain yn fyw ac yn byw yn rhywle yng Nghaerdydd!

PENNOD 6

Bore trannoeth, rhuthrodd Iolo i mewn i'r tŷ fel corwynt tra oedd Huw yn bwyta ei frecwast.

'Hei, dere 'da fi i'r ardd Huw. Mae arna i eisiau dweud rhywbeth pwysig wrthot ti.'

Cyn i Huw gael cyfle i ddweud ei stori o am y ddynes yn y wisg werdd a welodd ar y trên y diwrnod cynt, llusgodd Iolo ef drwy'r drws cefn i'r ardd.

'Gwranda Huw,' meddai, 'mae 'da fi syniad gwych sut i ddod o hyd i dy Nain . . . Y Swyddfa Bost!'

'Y Swyddfa Bost?!'

'Ie, gwranda—mae fy nhadcu yn mynd i'r Swyddfa Bost bob wythnos i nôl ei bensiwn,—rwyt ti'n gwybod,—yr arian mae hen bobl yn ei gael ar ôl ymddeol. Mae'n rhaid fod dy nain yn galw mewn Swyddfa Bost yn rhywle i gasglu ei phensiwn hi, ac felly mae ei henw hi ar eu rhestr nhw.'

Bu'n rhaid i Huw egluro eto nad oedd ei nain yn hen ac yn sicr doedd hi ddim yn ddigon hen i dderbyn pensiwn.

'Dydy hi ond un deg wyth o flynyddoedd yn hŷn na Mam. Mae Mam rŵan yn dri deg chwech, felly dim ond pum deg pedwar ydi Nain, ac mae'n rhaid i ti fod yn chwe deg cyn y cei di bensiwn.'

'O!' Gwgodd Iolo wrth weld ei gynllun yn chwalu'n deilchion. 'A finne'n meddwl fod 'da fi syniad gwych. Ond os nad ydy dy nain yn derbyn pensiwn ac os nad oes arian ganddi yn y Banc, o ble yn y byd mawr mae hi'n cael arian at fyw? Does bosib fod ganddi rhyw iâr hud yn rhywle yn dodwy wyau aur . . .'

'Gwneud pres drwy wnïo mae hi, yntê!' atebodd Huw gan ddechrau colli ei amynedd gyda Iolo. 'Rydw i wedi dweud hynny wrthot ti o'r blaen petaet ti'n gwrando. Nain oedd yr orau yn y byd am wau, crosio a gwnïo ac mi fyddai llawer o siopau yn prynu ei gwaith hi—yn enwedig y teganau clwt. Mi fyddai hi'n gwneud yr anifeiliaid delaf welaist ti erioed allan o bob math o glytiau lliw wedi eu pwytho gyda'i gilydd. Mae gen i ddau ohonyn nhw yn y llofft. Tyrd, mi ddangosa i nhw i ti.'

Aeth y ddau yn ôl i'r tŷ ac i fyny i lofft Huw.

Roedd Huw wedi mynnu dod â Moi a Mic, yr eliffant a'r mwnci bach digrif, hefo fo i Gaerdydd. Doedd o ddim wedi eu dangos i Iolo o'r blaen rhag ofn y byddai'n gwneud hwyl am ei ben a'i alw'n fabi. Pan welodd Iolo'r eliffant a'r mwnci wedi eu gosod yn daclus ar y gadair wrth y ffenestr, crebachodd ei wyneb fel petai wedi llyncu llond cwpan o ffisig drwg.

'Ych y fi!' meddai. 'Am hyll! Ac mae na bobl yn ddigon dwl i brynu'r rheina!'

'Hei, chwarae teg, Iolo, maen nhw cyn hyned â fi ac mi rydw i wedi eu cnoi, eu cicio a'u gadael nhw yn y glaw lawer gwaith! Sut faset ti'n edrych wedi'r fath driniaeth? Ond mi roedden nhw'n hardd iawn un tro. Roedd Nain yn arfer gwneud teganau gwerth chweil ac mi fyddwn inna' yn ei helpu hi.'

Gafaelodd Iolo ym Moi yr eliffant ac edrychodd arno'n ofalus.

'Fe alla i dy gredu di fod hwn wedi bod yn un pert un tro. Wyddost ti be, mae o'n hynod o debyg i'r eliffant bach a gafodd Delyth, fy chwaer, ar ei phen-blwydd diwethaf. Mae hwnnw wedi ei wneud o ryw sgwariau pinc a glas gyda blodau brown i lawr ei drwnc ac ar hyd ei gefn. Welais i 'rioed eliffant o liw rhyfeddach yn fy nydd ond mae Delyth wedi dwli'n lân arno.'

Goleuodd llygaid Huw. 'Ga i ei weld o?' gofynnodd.

'Pam lai? Hei, dwyt ti ddim yn meddwl . . .?'

'Wyddost ti ddim, ond mae'n rhaid i mi gael ei weld o'n gyntaf.'

Rhedodd y ddau i lawr o'r llofft a thros y ffens i ardd drws nesaf. Ar y pryd, roedd Delyth, chwaer Iolo, yn gwthio pram yn llawn o ddoliau i lawr llwybr yr ardd. Stopiodd Iolo'r pram a gwthiodd ei law i ganol y pentwr doliau. Edrychodd ei chwaer yn ffyrnig arno a gwyrodd drosodd gan roi brathiad sydyn i'w arddwrn. Sgrechiodd Iolo gan boen.

'Gad di lonydd i 'mhlant i,' ebe Delyth. 'Maen nhw i gyd yn dost ac mi rydw i'n mynd â nhw at y doctor.'

Yna rhoddodd gic iawn i'w goes, i wneud yn siŵr na ddeuai'n agos at y pram eto.

'Y gnawes fach!' gwaeddodd Iolo a oedd bellach yn dawnsio ar un goes ac yn rhwbio ei arddwrn. 'Dydw i ddim yn mynd i frifo dy ddolis di. Dim ond eisiau estyn yr eliffant i Huw gael golwg arno oeddwn i.'

'Wel, chaiff e ddim. Mae Sami yn dost iawn, iawn. Mae'r frech goch arno fe.'

'Paid â dweud celwydd,' ebe Iolo wrth iddo lyfu'r briw ar ei arddwrn. 'Sgwariau pinc a glas a blodau brown sydd drosto fe, nid smotiau coch. Mae gan Huw eliffant tebyg hefyd, on'd oes, Huw?'

'Oes. Moi ydy ei enw fo ac fe all mai taid dy eliffant di ydy o.'

'Ga i ei weld e?'

'Os ca i weld d'un di yn gyntaf. Dim ots gen i os ydi'r frech goch arno fo. Rydw i wedi cael hwnnw ers talwm.'

Turiodd Delyth fel cwningen i ganol y doliau a'r anifeiliaid clwt a oedd wedi eu lapio'n ofalus mewn sgarffiau a hancesi o bob lliw. Estynnodd yr eliffant bychan pinc a glas gyda blodau brown ar ei drwnc a'i gefn.

'Cymer di ofal o Sami. Mae e'n dost iawn, iawn.'

'Welais i erioed eliffant mor hardd o'r blaen, Delyth,' ebe Huw. 'Roedd f'un inna' yn union fel hwn pan oedd o'n newydd.'

Yna, edrychodd ar Iolo.

'Rydw i'n bendant mai Nain wnaeth hwn. Mae ei doliau clwt hi bob amser yn wahanol i rai pawb arall. Gan bwy y cest ti hwn, Delyth?'

'Gan Modryb Gwyneth, ac mae arna i 'i eisiau fe'n ôl. Y funud 'ma! Cofia di ei fod e'n dost iawn a nawr fe fydd e'n siŵr o gael annwyd!'

Cipiodd yr eliffant o ddwylo Huw, ond doedd gan y ddau fachgen ddim diddordeb ynddo bellach.

'Allwn ni ffonio dy fodryb?' gofynnodd Huw wrth iddynt adael yr ardd.

'Wrth gwrs. Fe wnawn ni nawr. Dere!'

Cawsant wybod gan Modryb Gwyneth iddi brynu'r eliffant mewn siop grefftau a gwaith llaw yn un o strydoedd cefn Caerdydd. Roedd hi'n prynu llawer o bethau yn y siop hon. Yn rhyfedd iawn, roedd yr eliffant a brynodd i Delyth wedi bod mor boblogaidd nes ei bod hi wedi archebu dau arall i efeilliaid ei ffrind. Roedd am fynd i'w nôl o'r siop y Sadwrn wedyn.

'Gaiff Huw a finne' ddod 'da chi, Modryb Gwyneth?' gofynnodd Iolo.

'Wrth gwrs y cewch chi, ond wn i ddim pa ddiddordeb sydd gan ddau fachgen mawr fel chi mewn teganau clwt?'

'Diddordeb mawr iawn,' atebodd Iolo gan wenu a rhoi winc ar Huw. 'Fe ddywedwn ni wrthoch chi pam ddydd Sadwrn nesaf.'

PENNOD 7

Ychydig wedi naw o'r gloch y Sadwrn wedyn, safai Huw, Iolo a Modryb Gwyneth o flaen ffenestr y siop grefftau. Rhythodd Huw ar y ffenestr oedd wedi ei haddurno'n anghyffredin o hardd. Yng nghefn y ffenestr roedd llun anferth o saffari yn Affrica, ac o'i flaen blanhigion tal mewn potiau pridd. Yma a thraw rhwng y planhigion roedd yr anifeiliaid clwt mwyaf digrif a welodd neb erioed. Roedd yno eliffantod pinc gyda smotiau glas, llewod, sebras o liwiau'r enfys a jiráff glas gyda blodau aur a brown drosto.

Pan welodd Huw liw deunydd y jiráff, dechreuodd ei galon guro'n gynhyrfus—Nain oedd wedi ei wneud o, yn sicr. Hwn oedd y deunydd a roddodd yn anrheg pen-blwydd iddi'r flwyddyn cynt a chofiai iddi ei stwffio i'w bag—cyn cychwyn i Gaerdydd!

Camodd Huw i mewn i'r siop ar ei union, ond yn ei ffwdan ni allai yn ei fyw egluro wrth y ddynes. Roedd ei dafod fel petai wedi ei glymu'n dynn a doedd y ddynes sychlyd, oeraidd y tu ôl i'r cownter fawr o help chwaith. Wedi methu'n lân â dweud ei neges rhuthrodd Huw allan ac yn ei ôl at Modryb Gwyneth. Ar eu ffordd i'r ddinas y bore hwnnw, fe adroddodd y ddau fachgen y stori am Nain, ac yn wir cymrodd Modryb Gwyneth ddiddordeb mawr, ac roedd yn awyddus i helpu.

'Gwranda, Huw,' meddai wrth ei weld yn dod allan o'r siop yn ddigon siomedig, 'fe af i mewn i'r siop i ofyn drosot ti gan fy mod i'n gwsmer da yma ac yn adnabod gwraig y siop.'

Bu Modryb Gwyneth yn hir dros ben yn y siop a theimlai Huw yr amser yn llusgo fel malwen, a phob eiliad fel awr. Roedd wedi brathu ei wefus isaf mor aml tra oedd yn disgwyl, nes tynnu gwaed. Felly, roedd yn falch iawn o'i gweld yn dod allan ac yn fwy balch byth o'i gweld yn gwenu.

'Doedd hi ddim yn hawdd, Huw. Dydy siopwyr ddim yn hoffi rhoi gwybodaeth am bobl eraill rhag ofn iddyn nhw ddod i drwbl. Ond gan ei bod yn

f'adnabod i'n dda, fe gefais y cyfeiriad ganddi. Ond rydw i'n ofni Huw nad dy nain ydy hi. Nid Mrs. Williams ydy ei henw ond Mrs. Wilson, Mrs. Sara Wilson . . .'

'Sara ydy enw cyntaf Nain,' ebe Huw. 'Hwyrach ei bod hi wedi priodi rhyw Mr. Wilson o rywle.'

Gwenodd Modryb Gwyneth.

'Go brin, Huw!'

'Beth bynnag, mi faswn i'n hoffi mynd i'w gweld,' ebe Huw. 'Ydy hi'n byw yn bell oddi yma?'

'Nag ydy . . . dewch . . . fe gerddwn ni yno!' atebodd Modryb Gwyneth. Wedi cyrraedd y stryd safodd y tri o flaen honglad o hen dŷ a oedd yn amlwg wedi gweld ei ddyddiau gwell.

'Dydy Nain erioed yn byw mewn tŷ mor fawr â hwnna!' ebe Huw a'i galon yn dechrau curo.

'Ychydig o bobl heddiw sydd yn byw mewn hen dai mawr fel hwn,' ebe Modryb Gwyneth. 'Eu rhannu nhw'n fflatiau maen nhw yn ei wneud fel arfer bellach.'

Roedd Modryb Gwyneth yn iawn. Pan aethant drwy'r drws agored i gyntedd y tŷ, dywedodd gwraig ifanc wrthynt fod Mrs. Wilson yn byw yn fflat 6. Roedd calon Huw yn curo fel gordd yn awr wrth iddynt ddringo'r grisiau. Wedi cyrraedd y llawr cyntaf safodd Modryb Gwyneth o flaen drws gyda Rhif 6 arno a gwasgodd fotwm y gloch. Agorwyd y drws gan y ddynes a welodd Huw ar y trên. Dynes fechan daclus gyda llygaid glas a gwallt brith oedd hi. Gwisgai ffrog werdd. Doedd hi ddim yn gwisgo sbectol y tro hwn er bod ôl sbectol ar ei thrwyn. Cydiai mewn teigr clwt ar hanner ei orffen. Er gwaetha'r gwallt brith a'r wisg werdd, Nain oedd hi. Ond edrychai'n ddigon dryslyd arnynt.

'Ie, ga i eich helpu chi?' gofynnodd.

Cyn i Modryb Gwyneth ei hateb, gwaeddodd Huw ar ei thraws.

'Nain! NAIN! Fi sydd yma. Huw!'

Trodd i edrych ar Huw wrth iddo geisio cyffwrdd ei llaw. Crebachodd yntau ei lygaid i geisio cadw'r dagrau'n

ôl. Rhyw wichian y gweddill o'r geiriau a wnaeth.

'Dydych chi ddim wedi f'anghofio fi, Nain? Ac nid Mrs. Wilson ydy eich enw chi. Mae'n rhaid eich bod chi'n fy nghofio i!'

Daliodd y ddynes i edrych yn hurt ar Huw a chrychodd ei thalcen.

'Mi roedd gen i hiraeth mawr ar eich ôl chi, Nain!'

'Nain? Nain? Dydw i ddim yn meddwl 'mod i'n . . .'

Fel y tynnai Huw yn ei llawes, rhythai'r ddynes yn fwy manwl arno. Yn sydyn, diflannodd y crychau oddi ar ei thalcen ac ymledodd gwên fawr dros ei hwyneb, fel petai rhyw gwmwl trwchus wedi diflannu o'i blaen.

'Ond Huw wyt ti!' meddai, 'Huw bach!'

Camodd ymlaen i'w gofleidio ac yna, heb unrhyw rybudd, baglodd a syrthiodd yn swp ar y llawr.

PENNOD 8

Aeth tair wythnos heibio cyn i Nain wella'n iawn ar ôl ei chodwm. Treuliodd y pythefnos cyntaf yn yr ysbyty yn dioddef oddi wrth bob math o boenau. Cysgai a chysgai drwy gydol yr amser fel petai'n ceisio ailddarganfod ei gorffennol.

Cafodd Huw eistedd wrth ochr ei gwely fel y mynnai oherwydd tybiai'r doctor y byddai clywed llais Huw yn siarad â hi yn well nag unrhyw ffisig i geisio dod â chof Nain yn ôl. Fe wellodd Nain yn y man ac fe gafodd pawb o'r diwedd wybod beth yn union a oedd wedi digwydd iddi.

Wedi blino aros am Modryb Catrin ar y platfform yng ngorsaf Caerdydd, roedd wedi penderfynu mynd i'w thŷ ar un o fysiau'r ddinas, gan nad oedd tacsi ar gael. Fel y teithiai'r bws drwy'r gwe pry cop o strydoedd, yn sydyn, rhuthrodd lori allan o un o'r strydoedd cefn gan dorri ar draws llwybr y bws. Stopiodd y bws mor sydyn nes taflwyd y teithwyr yn blith-draphlith dros y seddau. Fe daflwyd Nain o'i sedd hefyd a thrawodd ei phen yn erbyn y sedd o'i blaen.

Doedd hi ddim llawer gwaeth ar y dechrau ond yna dechreuodd deimlo'n simsan a braidd yn ddryslyd ei meddwl. Credai mai'r rheswm am hynny oedd ei bod mor flinedig ar ôl teithio ar y trên ac aros wedyn mor hir ar y plat-fform.

Fel llawer o'r teithwyr, blinodd Nain ar aros am fws arall, a chan afael yn ei chês a'i bag, dechreuodd gerdded.

Ni wyddai i ble ar y ddaear roedd yn mynd ac aeth i deimlo'n swp sâl. Dech-reuodd y tai anferth droi o'i hamgylch fel olwyn ar dro ac roedd ei choesau yn simsanu oddi tani. Gwyddai ei bod yn cerdded fel dynes feddw ar y pafin.

Yna'n sydyn, sylwodd ar yr arwydd 'Y Berllan' a gwyddai mai dyna oedd enw'r stryd lle roedd Modryb Catrin yn byw. Ond petai Nain wedi sylwi yn fwy manwl, byddai wedi gweld mai 'Stryd y Berllan' oedd enw'r stryd hon

Y BERLLAN

ac nid 'Rhodfa'r Berllan' lle roedd ei merch yn byw.

Ond roedd Nain mor falch o weld yr enw fel y cerddodd yn union i lawr y stryd, ac ymhen ychydig safai o flaen Rhif 48. Roedd yn amau ai hwn oedd tŷ Modryb Catrin, ond rhywfodd ni faliai. Erbyn hyn, roedd ei phen mor ysgafn â phluen yn y gwynt. Cerddodd at y drws a chanu'r gloch. Agorwyd y drws gan ddynes garedig yr olwg.

'Wel, Mrs. Wilson fach, mi rydych wedi cyrraedd o'r diwedd a finne wedi bod yn eich disgwyl drwy'r dydd,' meddai gan gydio yng nghês Nain. 'Dewch i mewn. Rydw i'n siŵr y byddwch chi wrth eich bodd gyda'ch fflat. Mae gennych olygfa fendigedig dros y parc a'r afon. Rydw i wedi rhoi dillad glân ar eich gwely, ac yn ôl yr olwg sydd arnoch, fe allwch wneud ag awr neu ddwy o gwsg!'

Cytunodd Nain â hi. Anghofiodd ei bod bron â llwgu a thaflodd ei hun ar y gwely cyfforddus. Ymhen dim, roedd yn cysgu fel twrch.

Deffrôdd fore trannoeth gyda chur pen difrifol ac roedd wedi anghofio pwy ydoedd ac o ble y daethai. Cofiai amdani ei hun yn blentyn ond wedyn diflannai pob atgof i ryw gwmwl mawr. O dro i dro, fflachiai ambell wyneb neu lais cyfarwydd allan o'r cwmwl. Pan alwodd gwraig y tŷ hi'n Mrs. Wilson yn ystod y bore, cymerodd Nain yn ganiataol mai Mrs. Wilson oedd ei henw. A chan na ddaeth y Mrs. Wilson iawn i fyw yn ei fflat, fe gafodd Nain aros yno. Wrth gadw ei dillad, sylwodd ar y llythrennau 'S.W.' a oedd wedi eu gwnïo ar yr hancesi poced. Roedd yn amlwg fod gwraig y llety yn hollol iawn. Doedd gan Nain yr un llythyr na llyfr siec na dim arall yn ei phwrs gyda'i henw llawn arno.

Ond fe gafodd Nain gymaint o gur pen yn yr wythnos wedyn nes iddi benderfynu mynd at yr optegydd i gael sbectol. Teimlai'n llawer gwell wedyn.

'Ond Nain bach, ddaru chi erioed feddwl fod gennych chi deulu?' gofynnodd mam Huw.

'Wel do, wrth gwrs. Ambell dro cawn rhyw bwl o hiraeth er nad oedd gen i syniad am be'. Roeddwn i'n teimlo'n euog am fy mod wedi gadael fy nheulu yn rhywle a dyna pam roeddwn i'n byw ar fy mhen fy hun. Bob tro y cawn y pyliau yma, byddwn yn drist iawn.'

'Ddaru chi fy ngholli i, Nain?' gofynnodd Huw.

'Wrth gwrs, Huw bach! Pan welwn blant yn chwarae ar y stryd fe gawn bwl o hiraeth fel dannodd wyllt ac mi wyddwn mai hiraeth oedd o am blentyn bychan yr oeddwn yn ei adnabod yn dda un tro.'

Gwenodd Huw, ac roedd mor hapus fel y dechreuodd grio yn ddistaw bach. Er bod gwallt ei nain wedi britho'n arw a'i bod bellach yn gwisgo sbectol, eto yr un Nain oedd hi.

'Ew Nain, on'd doedd hi'n lwcus eich bod wedi ailddechrau gwneud teganau clwt neu fasen ni byth wedi dod o hyd i chi. Ond i Moi a Mic mae'r diolch mwyaf. Petai Iolo heb weld Moi mi fasech yn dal ar goll!'

'A lwc i minna' gadw peth o'r defnydd brynaist ti i mi ar fy mhen-blwydd a gwneud y jiráff bach 'na.'

'Pan welais i'r jiráff yn y ffenestr, mi wyddwn o'r gora' mai chi oedd wedi ei wneud o,' ebe Huw.

Gafaelodd Nain yn dynn yn Huw gan ei wasgu i'w mynwes.

Y dydd Sadwrn canlynol, daeth tad Huw yr holl ffordd o Aberdulas i'w nôl yn y car. Y noson honno, wedi cyrraedd adref, cawsant ginio mawr i ddathlu fod Nain wedi dod yn ôl. Roedd y bwrdd wedi ei addurno'n hardd, ac ar ei ganol, gosodwyd Moi a Mic, yr eliffant a'r mwnci bach digrif!